à L'intérieur de L'ordinateur

il était une 🍎

PERSONNAGES

Liane
Jeune fille rêveuse à l'imagination débordante, elle est fascinée par l'ordinateur, qui abrite un univers unique, ou se côtoient des puces et des chasseurs de monstres, les impressionnants antivirus.

Isabelle
Première de sa classe, elle adore apprendre et connaît énormément de choses. Ses amis lui repprochent souvent de se vanter de tout connaître, ils la surnomment « Madame Je-sais-tout » mais, malgré cela, ils l'aiment

Mehdi
Passionné par les jeux vidéo et leurs sanglantes batailles dont il préfère les héros à ceux des cours d'histoire. Un peu amoureux de la jolie Liane, il rivalise avec Isabelle car, en informatique, c'est lui le Boss.

Takeo
Voisin et père de Satoru, l'ami d'Isabelle, il est le sauveur qui va réparer l'ordinateur.

La partie bat son plein. Liane est aux manettes. Sur l'**écran**, un drôle de petit bonhomme affronte des monstres tous plus hideux les uns que les autres.

Isabelle — Attention derrière toi !

Cette fois, c'est trop tard. Liane n'a pas le temps de réagir. Avalé par un monstre, son personnage disparaît. La partie est terminée !

Mehdi sourit, c'est à lui de jouer : il va enfin pouvoir montrer qu'il est le meilleur. Il pousse Liane pour prendre sa place : — C'est mon tour.

Une fois la souris en main, il déplace la flèche qui se pose sur l'inscription « nouvelle partie » et clique pour aller affronter les monstres. Rien ne se passe. Le jeu refuse de démarrer. Le sourire de Mehdi disparaît lorsqu'il clique une nouvelle fois. L'écran devient bleu. Il y a bien un texte blanc dessus, mais il est plutôt mystérieux : on y parle d'une activité suspecte qu'un certain système aurait détectée.

Isabelle est la première à réagir. Elle regarde Mehdi sèchement — Mais, qu'est-ce que tu as fait ?

Puis elle lâche un « Tu vois, je te l'avais bien dit ! » en direction de Liane. Persuadée que Mehdi a cassé l'ordinateur, elle en veut à Liane qui a insisté pour que Mehdi vienne jouer avec elles. « Tu verras, avait-elle dit, il est trop fort. Il a plein de jeux chez lui. » Quand Isabelle avait proposé à Mehdi de venir chez elle, d'abord surpris, il s'était ensuite dit : « Voilà un domaine où je vais enfin la battre ! » Elle était énervante, cette éternelle première de la classe qui n'oubliait jamais de le faire savoir ; il ne comprenait pas comment Liane pouvait la supporter. Liane ne donnait jamais de leçons. Certes, elle était un peu bizarre, un peu tête en l'air, mais Mehdi l'aimait bien, elle était drôle.

Dépité, il se défend :

— Mais je n'ai rien fait !

Isabelle — Mais si ! Tu as planté l'ordinateur !

Liane — Il n'y a qu'à le redémarrer !

Isabelle — Non, tu vas le casser. Il faut faire Contrôle et F4 !

Mehdi s'exécute mais rien ne se passe.

Isabelle — Essaye Contrôle-Alt-Sup !

Les enfants tentent successivement toutes les combinaisons de touches qui leur semblent pouvoir réparer l'ordinateur, mais rien n'y fait, l'écran reste désespérément bleu. Isabelle entend sa mère s'affairer dans la cuisine. « Pourvu qu'elle n'ait rien entendu ! » espère-t-elle. Soudain, son visage s'éclaire : elle a une idée. Satoru, son voisin de palier,

est aussi dans leur classe. Et son père s'y connaît en ordinateurs, il est déjà venu à l'école pour animer l'atelier informatique : « Il pourra sûrement nous aider, et maman n'en saura rien », se dit-elle. Elle tire Liane par la manche :

— Venez, on va voir Satoru !

Ils filent sans bruit et sonnent chez le voisin. C'est Takeo, le père de Satoru, qui ouvre la porte :

— Bonjour Isabelle, Satoru n'est pas là aujourd'hui, il ne pourra pas jouer avec toi.

Il aperçoit les autres enfants et se rend compte qu'ils sont tous trois catastrophés.

— Bonjour les enfants. Mais qu'est-ce qui vous arrive ? Vous en faites une tête !

Isabelle lui présente ses deux amis et expose leur problème. Takeo comprend bien ce qu'ils attendent de lui, pourtant, il a l'air un peu contrarié :

— Cela ne tombe pas très bien, je suis occupé ! Vous avez essayé de faire Contrôle-Alt-Sup ?

Isabelle — Oui, mais ça ne marche pas !

Takeo regarde à nouveau les enfants et ajoute :

— Bon, d'accord, je vais venir vous aider. Mais entrez d'abord une minute pendant que je sauvegarde mon travail.

L'appartement de Takeo ressemble à un magasin d'informatique. Les enfants ont l'impression d'être dans la caverne d'Ali Baba, mais en mieux. Les regards circulent d'un objet à l'autre. Impressionnée par un écran gigantesque qui trône sur le bureau de Takeo, Liane dit : — Wahou ! il est gros ton ordinateur ! Il doit aller vite.

Takeo — Ce n'est pas l'ordinateur qui est gros mais l'**écran**.

Liane — Bah ! c'est pareil !

Isabelle — Non, l'ordinateur, c'est cette boîte.

Takeo — Eh oui, on peut avoir un ordinateur performant avec un petit écran.

Il montre alors la boîte située sous l'écran :

— Isabelle a raison, c'est effectivement dans cette boîte que se situe le cœur de l'ordinateur.

L'ordinateur est-il intelligent ?

Mehdi — Et c'est là qu'habitent les **puces** ?
Liane le regarde — C'est pas des puces, c'est un pou qui commande dans un ordinateur !

Takeo — Mais non, il n'y a aucune bête vivante dans cette boîte !

Isabelle — Ce sont sûrement des microrobots. J'ai lu dans…

Mais Takeo ne la laisse pas terminer :

— Il n'y a pas plus de microrobot que de pou ou d'éléphant. Il y a effectivement des petites boîtes noires que l'on appelle « puces ». Ce ne sont pas des bestioles, mais des boîtes en matière plastique dure appelée résine.

Il regarde Liane.

— Et celui qui commande, comme tu dis, ce n'est

EN+ Les puces

Il y a bien longtemps, sous un microscope, les composants élémentaires des ordinateurs apparaissaient comme des petits points noirs avec plein de pattes, comme des puces. Aujourd'hui on donne le nom de puce aux boîtes noires en résine également munies de nombreuses pattes, qui regroupent des millions et des millions de composants élémentaires !

pas un pou, mais une puce un peu plus grande que les autres. Cette puce particulière est le **microprocesseur**.

Mehdi — Le microquoi ?

Takeo — Le micro-pro-cesseur, c'est la pièce maîtresse de l'ordinateur !

Liane — C'est son cerveau, alors !

Takeo — Disons que c'est le microprocesseur qui résout tous les problèmes. Il est capable de faire très rapidement des opérations extrêmement compliquées. Pourtant, il n'agit pas comme un cerveau. Il ne fait que ce qu'on lui demande de faire.

Liane — Il doit être drôlement intelligent !

Takeo — Un microprocesseur n'est pas vraiment intelligent. Ce n'est qu'un exécutant qui ne réfléchit pas.

Mehdi — Tu veux dire que le cerveau de l'ordinateur, il est bête ?

Liane — C'est comme un copain de classe qui nous copie sans réfléchir, alors !

Takeo — Je ne l'aurais pas dit comme cela. De toute façon, ce qu'on lui demande de faire, il le fait très bien. Il peut effectuer des millions d'opérations en une fraction de seconde sans jamais se tromper.

Mehdi — Trop fort !

C'est quoi un programme ?

Liane — Mais alors, qui commande le microprocesseur ?
Takeo — C'est l'homme, par l'intermédiaire du **programme**. Pour que le microprocesseur travaille, il faut lui donner des ordres.

Il s'adresse à Isabelle.

— Imagine que tu veuilles savoir qui est le plus vieux de ta classe. L'ordinateur peut y arriver en un clin d'œil. Il compare d'abord ton âge avec celui des autres élèves. S'il en trouve un plus âgé que toi, il le garde et le compare avec les autres. Et ainsi de suite jusqu'à ce qu'il en trouve un qui soit plus vieux que tous les autres. Cela représente de nombreux ordres qui conduisent à de nombreuses opérations. Cette suite d'opérations s'appelle un « programme ».

Isabelle — Et s'il oublie quelqu'un ?

Takeo — L'ordinateur ne se trompe pas, il ne fait que

Le logiciel DÉF.

Un logiciel est un ensemble de programmes, qui permet à l'ordinateur d'assurer une une fonction en particulier. Par exemple, un logiciel de traitement de texte contient un programme pour écrire, un autre pour mettre en page afin de faire des jolies lettres, un autre pour dessiner et aussi un autre pour corriger les fautes d'orthographe…

ce qu'on lui demande. Ce n'est donc pas l'ordinateur qui oublie. C'est toi qui n'as pas rentré les dates de naissance de tous les enfants dans sa mémoire.

Liane — Si un ordinateur se trompe, c'est parce que le programme est mal fait, alors ?

Takeo — Exactement !

Isabelle — Et un logiciel, est-ce qu'il peut se tromper ?

— Et le **système d'exploitation**, c'est un logiciel ?

Takeo — Oui, c'est un logiciel particulier. Pour pouvoir utiliser un ordinateur, il faut lui installer au départ un programme spécial qui organise le tout.

C'est un peu comme le code de la route pour la circulation automobile. Le système d'exploitation permet à chacun de bien utiliser l'ordinateur.

Mehdi — Et qui a inventé les programmes ?

Takeo s'assied. Il a compris que les enfants ont mille et une questions à lui poser. Tant pis, il travaillera plus tard ce soir. Il reprend alors d'un ton plus calme :

Ada Lovelace EN+

Ada Lovelace (1815-1852) est la fille du poète Lord Byron. En 1843, à partir des travaux du mathématicien italien Federico Luigi, elle établit ce qui est aujourd'hui considéré comme le premier programme informatique au monde. En 1980, l'armée américaine développe un nouveau langage informatique et le nomme ADA en sa mémoire.

— Vous connaissez les orgues de Barbarie ?

Isabelle — Oui, on fait tourner la manivelle et ça fait de la musique.

Takeo — Tu as raison. La manivelle entraîne une bande de carton perforé. Cela veut dire qu'elle est couverte de petits trous. Chaque trou correspond à une note et la position des trous correspond à une musique bien précise. La mélodie défile alors au rythme du carton. Eh bien, il y a cent cinquante ans déjà les métiers à tisser de M. Joseph Marie Jacquard fonctionnaient exactement de cette manière !

Les tisserands utilisaient des bandes de carton perforé, et la position des trous indiquait à la machine l'opération qu'elle devait faire. C'est une femme, Ada Lovelace, qui a alors montré que l'on pouvait se servir de ce même type de commandes pour résoudre des problèmes mathématiques. C'est cela que nous appelons aujourd'hui un programme.

EN+ L'ordinateur

Bien sûr, l'ordinateur calcule, mais il fait plus : il range, il ordonne et traite les informations. Ainsi, sous l'impulsion d'IBM France, Jacques Perret, professeur de lettres à Paris, proposa en 1956 de s'éloigner de la traduction littérale « calculateur » du mot anglais *computer*, et de donner à cette machine le nom d'« ordinateur », adjectif qui dans certains dictionnaire désigne Dieu, qui met de l'ordre dans le monde.

Liane — Et qui a inventé l'ordinateur ?

Takeo reste silencieux. Les Chinois connaissaient déjà le boulier il y a plus de trois mille ans. D'une certaine manière, c'est l'ancêtre du micro-processeur. Mais ce n'est pas un **ordinateur**, il n'y a pas de programme. Répondre à la question de Liane n'est pas si simple.

— Tu veux dire les ordinateurs comme les nôtres : les micro-ordinateurs ?

Liane — Oui, c'est ça !

Takeo — En fait, un micro-ordinateur, c'est tout simplement un ordinateur construit autour d'un microprocesseur. Le premier micro-ordinateur au monde s'appelait Micral, il a été inventé il y a plus de trente ans par un Français : François Grenelle. Il faudra ensuite attendre 1981 pour que la société IBM lance le premier PC — ce sont les initiales anglaises de *personal computer* qui signifie « ordinateur personnel ».

Il ajoute :

— Avant, il y avait bien sûr des machines à faire des calculs, comme les machines que Pascal a inventées vers 1650. Mais il y manquait un programme enregistré.

Isabelle — Et un jeu, c'est un programme ?

Takeo — Effectivement. Quand vous jouez avec l'ordinateur, en fait, vous jouez avec un programme qui commande l'ordinateur. Souvent, toutes les situations possibles du jeu ont déjà été prévues. Le programme peut ainsi réagir à vos actions. C'est un peu comme certains livres dans lesquels on construit sa propre histoire. À la fin d'une page, vous choisissez entre plusieurs possibilités proposées. Cela vous emmène à telle ou telle page. On peut ainsi parcourir des histoires différentes.

Isabelle — Oui, oui, je connais, j'ai une énigme qui fonctionne pareil !

Takeo — On a l'impression d'inventer l'histoire, et pourtant on ne peut jamais sortir de ce qui a été écrit par l'auteur. Un jeu d'ordinateur, cela représente aujourd'hui des milliers, voire des millions de pages de livres. Ainsi, même si vous avez l'impression de jouer avec l'ordinateur, il serait donc plus exact de dire que vous jouez avec l'inventeur du jeu.

À quoi sert le disque dur ?

Liane — Et elles sont où, toutes ces pages ?
Isabelle — Sur le **disque dur**, bien sûr !
Takeo — Tu as raison, c'est souvent sur le disque dur, mais pas toujours. Il y a plusieurs sortes de mémoires

dans l'ordinateur. La plus importante, c'est le disque dur. Il est capable d'accueillir et de stocker un nombre phénoménal d'informations. L'équivalent d'une bibliothèque de plusieurs dizaines de milliers de volumes.

Les trois enfants restent pensifs. Ils comptent et recomptent les livres qu'ils ont chez eux et restent bien loin du compte.

Mehdi — Mais quand je mets un texte sur le disque dur, est-ce que je peux le retrouver ?

Takeo — Sur un disque dur, l'information reste toujours accessible, même si tu éteins l'ordinateur : elle n'est jamais perdue. C'est justement l'intérêt du disque dur.

Liane — Comment il fait, l'ordinateur, pour aller rechercher le texte ?

Takeo — C'est assez facile. Le disque dur est divisé en plusieurs zones qu'on appelle « secteurs ». C'est un peu comme une ville divisée en quartiers, eux-mêmes divisés en rues. Pour trouver une information, l'ordinateur opère comme un facteur qui distribue des lettres. La différence, c'est que sur le disque dur il n'y a pas de courrier mais des **fichiers**. Chaque fois qu'un fichier est placé sur le disque dur, l'ordinateur lui associe une adresse précise. Ainsi, lorsque tu veux le rappeler, l'ordinateur va le rechercher à la bonne adresse sur le disque dur.

Mehdi — C'est gigagénial, le disque dur! Alors, c'est le disque dur l'élément le plus important dans l'ordinateur?

Takeo — Le plus important, certainement pas. D'ailleurs, un disque dur, ce n'est pas suffisant comme mémoire. Et puis ce n'est pas assez rapide. Lorsque vous jouez, vous faites apparaître régulièrement de nouveaux paysages ou de nouveaux personnages. Et aller chercher ces informations sur le disque dur, cela prend du temps. Oh! pas des heures, mais cela peut représenter plusieurs secondes. Et c'est déjà trop long! Cela ralentit le déroulement de l'action et le jeu perd de l'intérêt. Alors, l'ordinateur a d'autres mémoires plus rapides d'accès: on les appelle « **mémoires vives** » parce qu'elles réagissent rapidement.

Mehdi — Mais alors, ça sert à quoi d'avoir un disque dur?

Takeo — Les mémoires vives sont trop petites pour garder tout ce dont on a besoin. Et en plus, elles ne sont pas permanentes. Elles s'effacent dès que l'on coupe le courant. Les informations qu'elles contiennent sont alors perdues.

Comment fait-on pour entrer les informations ?

Depuis quelque temps déjà, Liane est intriguée par la **souris** posée à côté du clavier. Elle ne parvient pas à trouver le cordon censé la relier à l'ordinateur. N'y tenant plus, elle attrape la souris. Il lui faut bien se rendre à l'évidence : il n'y a pas de fil.

Isabelle — Chouette ! Une souris infrarouge !

Mehdi — Je sais, moi, le plus important dans l'ordinateur, c'est la souris qui nous permet de le commander. Pas vrai, monsieur ?

Liane — Et comment il fait, l'ordinateur, pour comprendre ce qu'on lui dit avec la souris ?

Isabelle — Comment marchent les souris infrarouges alors qu'elles n'ont pas de fil ?

Takeo — Attendez, les enfants, cela fait trop de questions à la fois! D'abord, je m'appelle Takeo, et pas Monsieur. Ensuite, la souris, c'est effectivement important, car elle nous permet de communiquer avec l'ordinateur.

Liane — Communiquer? Ça veut dire quoi, communiquer?

Takeo — Cela veut dire échanger. Nous, nous disposons de nos cinq sens pour recevoir des sons, des images ou des odeurs, par exemple. Nous pouvons aussi parler et écrire, bref, communiquer avec le monde extérieur. L'ordinateur a lui aussi

besoin d'échanger avec l'extérieur. Et pour cela, il dispose de différents outils. La souris en est un, elle nous permet de donner des ordres à l'ordinateur.

Mehdi — Et pourquoi faut-il un **clavier** ?

Takeo — Parce qu'un clavier permet d'écrire directement beaucoup de caractères différents. Ce n'est pas obligatoire, certains ordinateurs de poche n'en ont pas. Mais ils sont d'un maniement moins pratique. Aujourd'hui certains ordinateurs de poche n'ont ni souris ni clavier, on utilise nos doigts pour communiquer grâce à un écran tactile.

Liane demande alors d'un ton malicieux :

— Si la souris c'est la main de l'ordinateur, il est où, son nez ?

L'interface DÉF.

On appelle « interface » l'ensemble des outils qui nous permettent de communiquer avec l'ordinateur : le clavier, la souris, l'écran… Pour améliorer l'interface, on étudie la façon dont nous interagissons avec les ordinateurs. Cela permet de concevoir des systèmes adaptés, efficaces et faciles à utiliser.

25

Mehdi — Très drôle, Liane !

Takeo — Non, c'est une très bonne question. L'ordinateur n'a pas de nez parce que nous n'avons pas jugé utile de lui en donner un. Mais peut-être qu'un jour il en aura un !

Mehdi — Ouh ! là là ! Ça me paraît compliqué, tout ça !

Takeo — Mais non, c'est simple. L'ordinateur comporte quatre parties importantes : le **microprocesseur**, qui permet de réaliser les opérations rapidement et sans erreur, la mémoire, qui stocke les informations, les programmes, qui donnent les ordres au microprocesseur, et, finalement, l'ensemble des moyens qui nous permettent de communiquer avec l'ordinateur.

À ce moment précis, Liane imagine un microprocesseur à deux jambes, avec des yeux en forme d'écran, une main en forme de souris et l'autre grosse comme une imprimante. Le monstre affublé de sa mémoire à l'allure de chapeau mexicain est soumis aux ordres tyranniques d'un logiciel acariâtre. Quant à Isabelle, déçue de ne pas avoir obtenu de réponse à sa question sur la souris infrarouge, elle s'apprête à la reposer, mais Mehdi, qui regarde le clavier avec insistance, la devance.

Quel est le langage utilisé par l'ordinateur ?

Mehdi — Quand on tape sur une touche, comment fait-elle pour apparaître sur l'écran ?

Takeo — Le clavier communique avec l'ordinateur grâce à des signaux électriques. Quand tu tapes sur une touche, le A par exemple, le clavier envoie un signal codé par le fil qui le relie à l'ordinateur.

Mehdi — Mais ton clavier, il n'est pas relié par un fil, pourtant !

Isabelle, ravie de pouvoir à nouveau poser sa question, ajoute :

— Et comment les souris **infrarouges** font-elles pour faire bouger la flèche sur l'écran ?

Takeo, pris au piège, sourit avant de répondre :

— Vous avez parfaitement raison. L'important, c'est qu'il y ait un signal qui soit transmis. Lorsqu'il y a un fil, c'est un signal électrique. Pour les souris ou les claviers sans fil, c'est un signal lumineux. C'est de la lumière infrarouge qui n'est pas visible pour l'œil humain, mais que les capteurs infrarouges des ordinateurs captent parfaitement.

Mehdi — Mais l'ordinateur, comment il sait que c'est un A ?

Takeo — Le message est codé. Il est traduit dans le langage de l'ordinateur. L'ordinateur utilise un alphabet très simple. Il ne contient que deux « lettres » : o et 1. Comme il n'y a que deux lettres, on parle de **« langage binaire »** !

Mehdi — Mais quand l'ordinateur reçoit le signal électrique, comment il fait pour savoir que c'est un I ou un o ?

Takeo — Alors là, c'est simple ! Vous savez que les piles électriques ont

Le langage binaire DÉF.

L'alphabet français contient 26 lettres, les Chinois utilisent des milliers de caractères, et l'ordinateur seulement deux : « o » et « 1 ». On parle alors de langage binaire, en utilisant le préfixe « bi » qui signifie « deux ». Avec deux caractères binaires, il y a quatre possibilités : oo, oI, Io et II. Avec trois caractères, il y en a huit : ooo, ooI, oIo, oII, Ioo, IoI, IIo et III. Chaque fois que l'on ajoute une lettre binaire, on multiplie par deux les possibilités. Ainsi, avec un octet, composé de huit caractères binaires, on obtient $2 \times 2 \times 2 \times 2 \times 2 \times 2 \times 2 \times 2 = 256$ caractères différents.

deux bornes, une positive et une autre négative. Cela permet d'envoyer une impulsion électrique positive en se connectant à la borne positive, ou négative en se connectant à la borne négative. On peut ainsi « coder » simplement le signal électrique. Pour un ı, le clavier envoie une impulsion électrique positive, et pour un o, une impulsion négative. Par exemple, pour écrire la lettre A sur l'écran, il envoie un signal qui a la forme suivante.

Takeo leur dessine alors un schéma.

Mehdi — Pourtant, la lettre apparaît au moment où j'appuie sur le clavier ! Il arrive à faire tout ça en si peu de temps ?

Takeo — Eh oui, l'ordinateur travaille très vite. Aujourd'hui, les micro-ordinateurs sont capables d'ingurgiter plusieurs milliards de lettres par seconde. Alors, tu comprends, pour capter, analyser et transmettre à l'écran l'**octet** du caractère A, cela ne prend même pas un millième de seconde !

Isabelle — Mon ordinateur, il fonctionne à deux gigahertz !

Énervée par ce professeur « Je-sais-tout », Liane lui lance :

— Tu ne sais même pas ce que cela veut dire.

Isabelle reste coite.

Takeo — Cela indique la vitesse de fonctionnement des ordinateurs. Dire qu'il fonctionne à un gigahertz, cela signifie qu'il peut recevoir un milliard de caractères par seconde.

Mehdi — Un milliard ?

Takeo — C'est-à-dire mille millions.

Mehdi — Et comment il fait pour aller si vite ?

Qu'est-ce qu'il y a dans les puces ?

Takeo — Si tu pouvais te faire tout petit et rentrer dans les puces, tu le comprendrais facilement. Tu trouverais alors plein de petits objets identiques qui s'appellent des «**transistors**». Ils permettent de faire les opérations élémentaires, comme les additions ou les multiplications, qui sont les opérations de base des programmes et des **logiciel**s. Quand le nombre de transistors augmente, cela permet de faire plus d'opérations dans le même temps.

Isabelle — Et il y a combien de transistors dans mon ordinateur?

Takeo — Je ne pourrais pas te dire. Parce que, des transistors, il y en a partout : dans le **microprocesseur**, dans les mémoires.

Mehdi — Moi, je pense qu'il y en a au moins dix mille!

Liane — T'es fou, il n'y a pas la place!

Takeo — Vous êtes loin du compte! Rien que dans le microprocesseur de ton ordinateur, il y a cent millions de transistors. Quand le premier microprocesseur a été fabriqué, en 1971, il contenait déjà quatre mille transistors. Quand je dis déjà, je devrais dire qu'il ne contenait que quatre mille transistors. Depuis trente ans, leur nombre ne cesse d'augmenter. En moyenne, il double tous les dix-huit mois.

EN⚡ Transistor

Un transistor, c'est tout simplement une porte qui peut être soit ouverte, soit fermée. Il n'a pas de position intermédiaire. Quand la porte est fermée, il n'y a pas de signal de sortie, cela correspond à un o. Quand elle est ouverte, elle laisse passer le signal électrique, le signal de sortie correspond alors à un I. En associant plusieurs transistors on peu ainsi réaliser les opérations élémentaires comme les additions ou les multiplications.

Toujours plus petits, on peut aujourd'hui placer 100 milliards de transistors sur un seul centimètre carré.

Liane — Cent millions ?

Takeo — Oui, autant que d'habitants au Japon !

Liane — Alors, c'est tout petit, un **transistor** ?

Takeo — De plus en plus. Si les ordinateurs progressent, c'est surtout parce que la taille des transistors diminue. On sait aujourd'hui fabriquer des transistors dont la taille est voisine de dix nanomètres.

Liane — Tu veux dire dix micromètres ?

Takeo — Non, c'est bien dix nanomètres. Un nanomètre, c'est encore mille fois plus petit qu'un micromètre. Et vous savez déjà qu'un micromètre est déjà mille fois plus petit que le millimètre.

Mehdi — Tu veux dire que c'est invisible, un transistor ?

Takeo — Pas exactement, mais il faut des microscopes très compliqués pour les observer.

Comme sortant d'un rêve, Mehdi l'interrompt brusquement en montrant l'ordinateur :

— Je n'en reviens pas ! Dans cette boîte, il y a cent millions de transistors ?

Takeo — Uniquement dans le microprocesseur et, un microprocesseur, c'est beaucoup plus petit que cette boîte. Vous voulez en voir un ?

Les trois en chœur — Oui !

Mehdi — Tu vas ouvrir la boîte ?

Takeo s'installe devant son ordinateur. Il ajoute :

— Allons sur **Internet** !

Après quelques manipulations, un parallélépipède noir avec des centaines de pattes apparaît sur l'écran.

Takeo — Voilà. On ne dirait pas que cette boîte cache toute cette armée de transistors !

Mehdi — Waouh ! toutes les pattes !

Liane — Comment il fait pour fonctionner, ton ordinateur, si tu as sorti le microprocesseur pour le mettre sur l'écran ?

Isabelle et Mehdi éclatent de rire. Isabelle regarde Liane comme si elle avait pondu un œuf carré.

Takeo continue en souriant :

— Non, Liane, ce n'est pas celui de mon ordinateur. Actuellement, nous sommes connectés par **Internet** avec un site aux États-Unis, celui de la société qui fabrique les microprocesseurs. Vous voulez que je vous l'imprime, le microprocesseur ?

Liane — Je pourrai le garder ?

Takeo — Bien sûr. J'en imprime combien ?

Isabelle — J'en veux un !

Mehdi — Moi aussi !

Takeo tapote sur son clavier. L'**imprimante** se met à crépiter. Et les feuilles sortent très rapidement.

Takeo — Bon, cette fois, on arrête. Je propose un goûter avant d'aller regarder votre ordinateur. Isabelle, il est grand temps d'aller prévenir ta mère que vous êtes tous ici.

Isabelle file, Takeo va chercher des gâteaux et du jus de pomme. Dix minutes après, Liane et Mehdi sont rassasiés. Isabelle n'est pas encore revenue, quand l'ordinateur de Takeo annonce, d'une voix mécanique :

— Vous avez reçu un message.

Takeo regarde et annonce :

— Je pense que l'ordinateur d'Isabelle est réparé, c'est elle qui nous a écrit.

Il affiche le message afin que tout le monde puisse le lire :

Bonjour,
Maman a réparé l'ordinateur,
C'était un virus.
Isabelle.

Qu'est-ce qu'un virus ?

—Un **virus**! Mais c'est un médecin qu'il lui faudrait à l'ordinateur, dit Mehdi en rigolant.

Liane — Hyper drôle...

Mehdi — C'est quoi, un virus ?

Takeo — Un virus, c'est un programme hostile. Au mieux, il utilise notre ordinateur, au pire, il cherche à détruire ce que nous avons en mémoire. Il y a mille sortes de virus mais, le pire de tous, c'est celui qui demande au microprocesseur d'effacer tout ce que contient le disque dur. Si vous avez un virus, cela ne veut pas dire que votre ordinateur est cassé, cela signifie simplement qu'il contient un programme indésirable.

Liane — Comment ça s'attrape, un virus ?

Takeo — Les gens qui fabriquent les virus sont très malins. Ils les glissent dans les courriers électroniques, ou alors sur certains sites Internet. Lorsque vous regardez un site, celui-ci vous envoie des textes et des images qui s'affichent sur votre écran. Si un virus se glisse sur votre ordinateur en même temps qu'une photo, il s'y installe et le tour est joué !

Liane — Et on peut faire quelque chose contre les virus ?

Takeo — D'abord, il faut éviter d'en attraper. Et pour cela, il faut prendre quelques précautions : il vaut mieux avoir un **antivirus**...

Il est interrompu par Isabelle qui réapparaît :

— Alors, vous avez reçu mon message ?

Takeo — Ce n'est pas la peine que je me déplace, si j'ai bien compris ?

Isabelle — Non.

Elle se tourne vers les deux autres :

— Ce n'était pas notre faute.

Mehdi — Tu vois, je n'avais rien fait ! Je te l'avais bien dit !

Liane — Elle a fait comment pour tuer le virus, ta mère ?

Isabelle — Elle a utilisé un antivirus. C'est un programme génial. Il connaît tous les virus. Quand elle l'a mis dans le lecteur de l'ordinateur, le programme est parti à la recherche des virus. Il a regardé partout sur le disque dur et dans l'ordinateur, et, quand il a détecté le virus qui était entré, il l'a isolé et détruit !

Mehdi — Mais alors, on peut jouer à nouveau ? On y va ?

Liane — Chouette !

Takeo — Et si on jouait ensemble par Internet ? On forme une équipe ici et l'autre retourne chez Isabelle.

Il s'adresse à Mehdi.

— Tu restes avec moi, on va gagner contre les filles.

Isabelle — Alors là, vous n'avez aucune chance !

à L'intérieur de L'ordinateur

Quelques infos en compôte

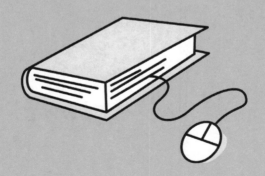

Parlez-vous ordinateur ?
ou comment compter en langage binaire 1

Pour compter nous utilisons dix chiffres : 0, 1, 2, 3, 4, 5, 6, 7, 8 et 9. Pour les nombres plus grands, nous avons les dizaines, les centaines, les milliers, etc. Ainsi, dans notre langage décimal, si on ajoute 1 à 9, on obtient un paquet de dix, que l'on appelle une dizaine et que l'on écrit 10. C'est pour cela que notre système s'appelle le **système décimal**. Quand nous écrivons 137, par exemple, cela équivaut à une centaine, trois dizaines et sept unités.

Les ordinateurs, quand à eux, utilisent le **langage binaire**, qui ne possède que deux chiffres :

0 et 1.

Il faut donc écrire les nombres dans un autre système que le système décimal. Au lieu des paquets de dix de celui-ci, on utilise en effet des paquets de deux. Quand l'ordinateur ajoute 1 à 1, il obtient un paquet de 2, qu'il écrit 10. Eh oui ! En binaire, 10 cela signifie 1 paquet de 2 et 0 paquet de 1. Mais il y a aussi des paquets de 4, 8 ou 16. Ainsi, 10111 signifie 1 paquet de 16, 0 paquet de 8, 1 paquet de 4, 1 paquet de 2 et 1 paquet de 1. Dans notre système décimal, on écrirait 23.

Tu as bien compris ?

Amuse-toi maintenant à faire des additions !

1 + 1 = ?
1 + 1 + 1 = ?
10 + 10 = ?
1111 + 1 = ?

et

100101 + 1111 = ?

Tu peux aussi jouer avec des multiplications :

11 × 10 = ?
101 × 100 = ?

et

101 × 11 = 101 × 10
+ 101 × 1 = 1010 +
101 = ?

réponses p.50

QUIZ

relier les éléments à leur définition

Boîte noire en résine munie ○
de nombreuses pattes

Pièce maîtresse de ○
l'ordinateur

○ microprocesseur

Ensemble de programmes ○

○ puces

Le premier micro ○
ordinateur

○ micral

○ l'interface

Mémoire la plus
importante ○
de l'ordinateur

○ le disque dur

○ logiciel

L'ensemble des outils
qui nous permettent ○
de communiquer avec

↑ réponses p.50

La souris
OPTIQUE

???

Matériel

1 souris optique
1 morceau d'adhésif

Déroulement

Contrairement à la souris infrarouge, la souris optique est reliée à l'ordinateur par un fil. Elle utilise la lumière non pas pour communiquer avec l'ordinateur, mais uniquement pour détecter les mouvements. Ceux-ci sont détectés par un système très simple. À l'intérieur de la souris se trouve une source lumineuse, rouge en général. Elle émet un signal lumineux qui se reflète sur le tapis et rentre de nouveau dans la souris, où un capteur le détecte. La souris envoie, par le fil, un signal électrique à l'ordinateur, afin de lui indiquer ses mouvements. L'ordinateur déplace alors la flèche sur l'écran. Si tu veux jouer un bon tour à quelqu'un, place un petit morceau de papier adhésif opaque devant la source lumineuse de la souris, puis replace-la sur le tapis... Elle ne fonctionne plus ! La personne que tu voulais piéger aura beau la déplacer dans tous les sens, la flèche ne bougera pas sur son écran !

Lorsque l'on écrit un texte on utilise une police, c'est-à-dire une forme de caractères : par exemple « bonjour » peut s'écrire « **BONJOUR** » ou « bonjour » ou encore « BONJOUR ». Il y a aussi certaines polices qui remplacent les lettres par des caractères spéciaux, des symboles mathématiques par exemple.

Pour envoyer un message crypté,

1 Il faut d'abord que tu écrives le message avec un logiciel de traitement de texte, par exemple « est-ce que tu veux venir chez moi samedi après-midi ? »

2 Ensuite tu sélectionnes le message avec l'aide de la souris : est-ce que tu veux venir chez moi samedi après-midi ?

3 Puis tu changes de police, par exemple si tu écris en utilisant sur le logiciel Word, utilise la police wingdings et ton message deviendra :
« ♍•♦ ♍♍ ☐♦♍ ♦♦ ❖♍♦⊠ ❖♍■⊬☐ ♍♍♍♋ ☐☐⊬ •☜☐♍♒⊬ ☜☐☐➔•⬧ ☐⊬♒⊬•✎ ».

48

Il suffit alors de copier ce texte et de le mettre dans ton courriel.

Pour le lire, ton destinataire n'aura qu'à faire la même opération dans l'autre sens.

Et vous pourrez ainsi communiquer sans être lus par les autres.

Il faut toutefois que vous utilisiez tous les deux le même logiciel avec les mêmes polices.

réponses aux additions et multiplications p.45

1+1=10

1+1+1=11

10+10=100

1111+1=10000

11 X 10 =100+10=110

101 X 100 =10000+100=10100

101 X 11 = 101 X 10 + 101 X 1 =1010 +
101 =1111

 réponses au quizzs p.46

• Boîte noire en résine munie de nombreuses pattes : puces
• Pièce maîtresse de l'ordinateur : microprocesseur
• Ensemble de programmes : logiciel
• Le premier micro ordinateur : Micral

• Mémoire la plus importante de l'ordinateur : le disque dur
• L'ensemble des outils qui nous permettent de communiquer avec l'ordinateur : l'interface

50

LEXIQUE

Disque dur

Le disque dur permet de stocker les informations, les fichiers et les programmes et de les retrouver facilement. D'une très grande capacité, il conserve les données même lorsque l'ordinateur est éteint.

Interface

On appelle « interface » l'ensemble des outils qui nous permettent de communiquer avec l'ordinateur : le clavier, la souris, l'écran....

Fichier

Comme une chemise qui regroupe les feuilles d'un même texte, un fichier regroupe un ensemble de données qui correspond à un texte, un film, un programme... On lui donne un nom, et on le range dans un dossier afin de pouvoir retrouver facilement l'endroit où il est stocké sur le disque dur.

Langage binaire

Le langage binaire utilise seulement deux caractères : « o » et « 1 ». En utilisant des combinaisons de « o » et de « 1 », on peut reconstituer toutes les lettres de l'alphabet et tous les caractères que nous utilisons dans notre quotidien. Par exemple, la lettre A s'écrit 01000001.

Logiciel

Un logiciel est un ensemble de programmes, qui permet à l'ordinateur d'assurer une fonction en particulier. Par exemple un logiciel de traitement de texte contient un programme pour écrire, un autre pour mettre en page afin de faire des jolies lettres, un autre pour dessiner et aussi un autre pour corriger les fautes d'orthographe…

Octet

Un octet est un mot de base en langage binaire. Il contient huit caractères « 0 » ou « 1 ». Comme il y a 256 octets différents, on peut attribuer à chaque octet une lettre, un chiffre ou un caractère spécial. Par exemple, pour la lettre B, on utilise l'octet 01000010.

A - 01000010 - C - D

Mémoires vives

Les mémoires vives permettent de stocker et de retrouver très rapidement des informations comme, par exemple, la progression dans un jeu. Elles s'effacent dès que l'on coupe le courant. Les informations sont alors perdues.

Programme

C'est une série de commandes qui permettent de résoudre des problèmes mathématiques ou de commander une action. On attribue à Ada Lovelace l'écriture du premier programme informatique au monde. C'était en 1843.

Puces

Il y a bien longtemps, sous un microscope, les composants élémentaires des ordinateurs apparaissaient comme des petits points noirs avec plein pattes, comme des puces. Aujourd'hui on donne le nom de puce aux boîtes noires en résine également munies de nombreuses pattes, qui regroupent des millions et des millions de composants élémentaires !

Système d'exploitation

Le système d'exploitation est un logiciel particulier qui permet à chacun de bien utiliser l'ordinateur. C'est le grand organisateur de l'ordinateur qui fait respecter le code de circulation des informations.

Transistors

Un transistor, c'est tout simplement la brique de base de la construction de l'ordinateur. C'est une porte pour le courant électrique. Elle peut être soit ouverte, soit fermée. En associant plusieurs transistors, on peut ainsi réaliser les opérations élémentaires comme les additions ou les multiplications.

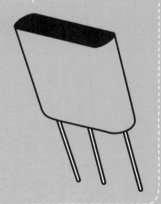

RÉFÉRENCES

Sur Internet

◦ http://sebsauvage.net/comprendre/
Site réalisé pour expliquer simplement des notions
d'informatique.

◦ http://lycees.ac-rouen.fr/galilee/iesp27/info/
index.htm
Sur ce site du lycée Galilée de Rouen vous allez
découvrir les différents composants de l'ordinateur.

◦ www.alphaquark.com/Informatique/Definition_
ordinateur.htm
Une description complète et synthétique de
l'ensemble des composants de l'ordinateur.

◦ www.commentcamarche.net/contents/pc/
ordinateur-portable.php3
Ce site donne une description précise des
différentes parties d'un ordinateur portable,
lesquelles sont pour la plupart identiques à celle
d'un ordinateur de bureau.

Dans ma bibliothèque

Pour les plus jeunes

○ *Internet quel drôle de réseau,* Françoise Virieux,
Le pommier coll. "Les minipommes", 2009

Pour les adultes

○ *Un ordinateur, comment ça marche?,*
Henri Lilen, Vuibert, 2004

○ *Une brève histoire de l'électronique,*
Henri Lilen, préface de Roland Moreno,
Vuibert, 2003

○ *Les micro-ordinateurs,* Max Rouquerol,
Presses universitaires de France,
coll. "Que sais-je?", n°832, 1995

INDEX

SOMMAIRE

DÉJÀ PARUS